「とほかみえみため」は
なぜ奇跡を起こすのか？

大野 靖志

「とほかみえみため」は
なぜ奇跡を起こすのか?

大野 靖志

和器出版

「とほかみえみため」はなぜ奇跡を起こすのか？

はじめに

この度、『とほかみえみため～神につながる究極のことだま』に続く第2弾を、言挙げすることとなりました。

前回の書籍では以下の内容について説明しています。

1. 人生は自らの言葉で決まる
2. わたしたちが知らない先祖の力
3. わたしと神をつなぐのは先祖だけ
4. この究極の言葉で神につながる
5. 「とほかみえみため」が切り開く人類の未来

基本的なポイントはこの中に集約されていますが、今回はさらに、なぜこの「とほかみえみため」に効果があるのかを、しっかり説明したいと考えています。

といいますのも、やはり私たち人間は効果のないことは、やりたくないわけです。またそのために、余計な時間を割くこともしたくありません。

ですが、この八文字を唱えることの効果は驚異的であり、前回はそれを少し控え目に表現しすぎたかもしれません。それもあり、今回改めて「とほかみ」の真の姿を問うことで、皆さんにこれまで見えなかった世界が見えてくるのではないか、と考えた次第です。

私の場合は、この道に入ってある程度の時間が経ちましたので、ここに書くようなことは、どちらかというと、やや当たり前のお話となります。が、読者の皆さんにとっては、そうではないはずです。

なぜなら、本当にこの言霊の意味を理解するためには、ある程度宇宙の仕組みを知る必要があり、それだけ壮大な世界を全て自分の意識の中に取り込むようなお話になるからです。

ですから、本書の内容は、皆さんにとってある意味冒険の世界といえるかもしれません。なかにはそのまま受け取れないようなことも出てくるでしょう。

ただ繰り返し申し上げますが、そうしたことも含め、この道を長年歩んできた私たちにとっては当たり前のことであり、ちゃんと理解できれば何の不思議もないということです。

よって本書は、読者の皆さんに、より一層の確信を持っていただくために書かれたものといってよいでしょう。

では、この本を書いている私が特別かというと全くそんなことはなく、むしろ劣等生で散々苦労した部類に入ります。それも、まともに理解するのに3年以上もかかっています。

けれども、核心部分を一度理解しさえすれば、あとは自動操縦のような世界があり、これほど楽なことはありません。

それも面白いことに、私が3年かかったことを、今の人たちは下手をするとわずか1週間ほどで習得してしまうのです。これが情報の移転の速さであり、そのスピードがこれからの皆さんの人生を左右していきます。

ただし、おかしな情報を取り入れてしまうと、それらに縛られ、取り返しのつかないことにもなりかねません。ですが、私が皆さんに保証することは、決して本書で洗脳されたり、それによって縛られることはないということです。

なぜならこの「とほかみえみため」という言葉は、畢竟、祓いの言霊であり、何かを蓄積するものではないからです。

この「祓い」という言葉は大事なキーワードになりますので、ここでよく覚えておいてください。

では、皆さんと一緒に、早速冒険の世界に参りましょう。

※ご理解を深めていただくため、まだ前著『とほかみえみため～神につながる究極のことだま』をお読みでない方は、併せてお読みいただくことをお勧めいたします。

1

「とほかみえみため」は祓詞である

まず最初にお伝えしたいこと、それは「とほかみえみため」は呪文ではなく、祓詞（はらいことば）であるということです。

初めての方は、祓詞といってもピンとこないかもしれません。いうなれば、神社でよく上げられている祝詞（のりと）と同じようなものです。つまり神様と繋がるための言葉ということですね。「禊祓祝詞」とか「大祓祝詞」のような表現もあります。ただこの祓詞が一般の祝詞と違うところは、それがお祓いに焦点を当てたものだということです。ですから、ここではお祓いとは何かというテーマでお話をしたいと思います。

まずは皆さん、回数はそれぞれあっても、一度ぐらいはお祓いを体験されたことがあるのではないでしょうか。たとえば、神社に行くと、神主さんが白いフサフサの紙のついた棒を振って、祓い清めということをしてくれますね。あの作法がそうだといえます。

要は、私たち一般人に取り憑いた悪いものや不要なものを、ある力で取り去ってくれるのがお祓いだといえるわけです。そうした対象を神道では、罪とか障り、穢れといった言い方をします。

ではその「ある力」とは何かといいますと、それが「言霊」なのです。神主さんが何らかの作法をする時でも「祓い給え、清め給え」といいますね。ですから、拍手など様々な作法がある中でも、実は言霊が一番の主役になっているというわけです。

ところが、たいていの方はそこを無視してしまいがちです。つまり、目に見える神殿や服装、作法の方に力があると思ってしまうのです。

ちなみに言霊のことは一般的に「ことだま」と発音しますが、私たちはそれを「げんれい」と発声します。ただその理由は後ほど述べます。

そこで、この祓いですが、これなしには神道も、日本が本来から持つ叡智のことも、語ることはできません。なぜなら「祓いに始まり祓いに終わる」といわれるほど、この言霊の「祓い」には、全宇宙のあらゆる物事をうまく回すための役割と力があるからです。

このことは、未だほとんどの日本人、いや人類に知られていません。それもそのはず、この世界は西洋の覇道的な価値観であらゆる活動が進められているからです。その西洋の価値観とは何かというと、何かを蓄積することが善だという考え方です。お金もそうですし、資格やテクニックといったものもそれに当たります。

つまり、自分という存在に何かを付け加えることが人間の成長であり、それにより、地位も富も、安心も手に入れられるという考えです。

それ自体といいますか、そうした成長の一過程を間違っているというつもりはありません。が、そのような枠組みで生きてしまうと、最後は価値観も含め、自らが蓄積したもので雁字搦めになってしまうのです。

自分という存在に何かを加えて、どんどん自分を広げるまではいいのですが、その先の終着点がないのです。そうなると、いわば無限地獄のような状態に陥ります。結局、お金を貯めても、知識をいっぱい詰め込んでも、ここまでやればいいということがありません。どこまで詰め込んでも、足りない、足りないという焦燥感に駆られます。

最悪の場合、本来は自由を手にするために、お金や知識を貯めてきたのに、最後はそれで幸せを得るどころか、それに縛られてしまうということが起こるのです。

自らが貯めたお金を守るために争いが起きたり、病気になったり、また、これまで掴んできた知識に満足がいかないことで、死を選んでしまう科学者や小説家もいます。

たとえば、ドイツの資産家アドルフ・メルクレ氏は資産が１兆円以上もあったのに、リーマンショックで７５０億円失ったことで自殺してしまいました。こうした蓄積の価値観がもたらす弊害は、冷静に世の中を見れば当たり前のように感じられます。けれども、現代文明に身を置くほとんどの人々が同様の価値観に囚われているため、それを当たり前と思い、誰もおかしなことと気づかないのです。

これは何も個人だけの話をしているのではありません。企業も国家も同じことです。会社であれば前年比何パーセントとか、国家であればＧＤＰがどれぐらい伸びたとか、結局蓄積の話をしています。

勘のいい方は、こうしたスタイルがもはや限界にきていることにお気づきのことでしょう。企業や国の成長といっても、よく見るとどこかから何かを奪っているだけであり、最後は蓄積したものが原因で自らを滅ぼすという、そんなことを人類は何百年も懲りずに繰り返しているわけです。

2

祓いとは引き算の世界

そうした積み重ねの世界とは真逆にあるのが、「祓い」の世界です。これまでの世界を足し算の世界としますと、「祓い」の世界は引き算の世界となります。

一般的には何かを失うことは嫌なこと、怖いことですが、この祓いの世界では、失えば失うほど善となります。つまり、引くこと＝祓われることが最高だというわけです。

では、この祓いというものが本当に最高なのか、見ていくことにしましょう。

まず私たちは現在、自らが歩んできた人生の結果として、今ある姿で生きています。そのことに疑いのある人はいないでしょう。過去の経験や蓄積が、現在の自分を作っているということです。ただ、そのような生き方をしてきて、本当に幸せな人生を送っている日本人は、ほんの一握りのように見えます。

2
祓いとは引き算の世界

世界幸福度ランキングというものがありますが、２０１９年度において日本は58位となっています。ちなみに1位はフィンランド、2位デンマーク、3位ノルウェーと続きます。蓄積の得意な米国も中国もトップ10に入っていません。

少し乱暴な言い方になるかもしれませんが、何かを貯め込んだり蓄積することを善と考えている国ほど、幸福度が低いと推測できるのではないでしょうか。

一方、ここで紹介した上位の国々は、どちらかというと、お金を貯め込むというよりも、社会福祉など富を民衆に還元することに力を入れているように思えます。つまり、政治家や企業家が社会の富を独占するのではなく、そこには「祓い＝払い」の要素も含まれているということになるわけです。

話を元に戻しますと、「祓い」は引き算の世界にあるわけですが、いきなり引き算といわれても、そこに圧倒的なメリットがなければ、誰もそれに取り組んでみたいと思わないでしょう。

ただいま紹介した国家の例は、その通りでありながら、一般人の私たちにはやや縁遠いお話かもしれません。つまり、一個人の力ではコントロールできない範疇にあるという点で。

そこで、今度はより個人レベルのお話に落とし込んでみたいと思います。その集合体が結局は国家となるわけですので、むしろそこから入った方が、皆さんにとっては、より実感的かもしれません。

2

祓いとは引き算の世界

3

なぜ祓いが必要なのか

3
なぜ祓いが必要なのか

ここまでお読みいただき、ただ引き算がいいといっているわけでないことは、おわかりいただけるかと思います。つまり、物事は全て足し算と引き算でできているので、そのどちらかだけで生きていくことはできないからです。

ただ、現代人の多くは足し算にばかり目がいき、引き算のように失うことを極度に恐れているフシがあるため、あえて冒頭にこのお話を持ってきたところがあります。

要は読者の皆さんに、この引き算の概念に慣れていただきたいということです。それがまた祓いの考え方にも繋がってくるわけですが、そのことによってかえって足し算の力が強化されることにもなるのです。

では、ここから具体的な話を申し上げましょう。

徹底的に祓いをするとします。すると最後に何が残るでしょうか。

はい。本当に徹底的にするのであれば何も残りません。空っぽというか、何もありません。

ですから、そこには喜びも不安も、恐れもないわけです。焦りもなければ、諦めもありません。とにかく何もないということ。もっというと、何もないという実感もありません。もし何かあれば、まだ祓われ切れていないことを意味します。

そこで出てくる問題が、何もないということの何がいいのかということです。あるいは、それの何が面白いのかという疑問も。

見方を変えれば、祓うにしても払うにしても、何かをひたすら失うことを意味するので、損をしたような気分になるかもしれません。あるいは、こうした引き算の世界に恐怖すら感じられるかもしれません。

3
なぜ祓いが必要なのか

ですがまた別の見方をすると、これほど私たちを苦悩から解放する特効薬もないといえます。今しがた、「恐怖すら感じられるかもしれません」と述べましたが、それすら祓われたとすると、恐怖自体も感じようがないのです。

ただし注意点は、こうしたマイナスだけを祓っても祓いにはならないということです。マイナスも祓うがプラスも祓うという姿勢が大事になります。

よく世の中の一般の方々は、得はしたいが損はしたくないという気持ちで動いておられるようですが、それが現実的でないことは、よくおわかりいただけると思います。実際、そのような姿勢だと、かえって詐欺にも遭いやすくなります。つまり、人を騙す側は、そこにつけ込むわけですから。

とにかく、いいも悪いも祓うという姿勢でいると、あらゆる悩みも慢心もなく、清々とした気持ちで過ごすことができます。また、自らがゼロポイントにあることで、人の嘘や虚栄心を見抜くのも得意になります（自分に過信や欲があると見抜けません）。

私からすると、今のこのお話だけで、十分お祓いに取り組む価値があるといえるのですが、これまでの西洋的価値観に染まった方には試練かもしれません。一方、祓いというものに真剣に取り組んでみたいという方もおられるでしょう。

3
なぜ祓いが必要なのか

4

祓いで神に繋がるメカニズム

お祓いをしっかりすることで、あらゆる思考や悩みが消えると申し上げました。それにより余計な気苦労もなくなる、と。普通に考えると、それだけで十分な成果といえますが、この辺りはどちらかというと常識的な範囲といえなくもありません。

実際、「とほかみえみため」であれ、白川（＊）の他の祓詞であれ、一音一音をしっかり唱えることができれば、悩みをもたらしている心の声や思考が、その音によって祓われ、分解されます（＊白川：一般社団法人白川学館 https://shirakawagakkan.jp/ 編集部註）。

では、それで終わりかというと、実はそこが本来的な道に進むための始まりとなるのです。

本来的な道とは何でしょうか？

それが前著でも述べたように、遠津御祖神（とおつみおやのかみ）という自らの先祖を代表する神と繋がることです。「とほかみえみため」の八文字を唱えるとそうなることは実証済みですが、今回はそうした神と繋がるメカニズムについて解説してみたいと思います。

まずはじめに、一体、神と繋がるとはどういうことをいうのでしょうか？

現実の世界では、仲間たちと手を取り合っているイメージや、ネットで他人同士が繋がっているイメージが思い浮かぶことでしょう。また、子供たちは遺伝子的にも、生まれながらにして親と繋がっているといえます。

こうした事例からある程度の想像はつきそうですが、相手が人間ではなく、神だとするとどうなるのでしょうか？

実際にはこの世の次元とあの世の次元が繋がるようなお話になるため、人間同士

4
祓いで神に繋がるメカニズム

のそれとは当然異なります。けれども、この世の次元での繋がり方が、あの世に反映されていてもおかしくはないでしょう。

それに関して、よく私たちは、「神人一如（しんじんいちにょ）」と表現することがありますが、これには、「神と人が一体化したかの如く」という意味があります。神と自分がピタッと重なった姿といえるでしょう。

では人が神と一如になるためには、どんなことが必要でしょうか。ただそう念じれば、そうなるのでしょうか。

これはある意味当然ともいえることですが、人間という存在が、どこまで清まっているかが、そこでのポイントになります。つまり、人と神が繋がるための接着面がどうか、インターフェイスがどうかが問題になるわけです。その部分が汚れていれば、神とは別の何かに繋がってしまいますし、ピカピカできれいな状態であれば、それにふさわしい存在と一如になることができます。

ところが、「祓い」という概念がないと、メッキのような見せかけの上塗りをすることで、自分よりすばらしい存在を引き寄せようとします。人間の世界であれば、こうした誤魔化しもある程度通用しますが、あちらの世界にそうしたことは通用しません。

なぜなら、全てが筒抜けになっているからです。

よって、神に繋がるための最低条件が祓いであり、次にどこまで祓われているかが大事な問題になってくるわけです。

この仕組みを知らないと、祈れば祈るほど我欲のゴミが積み重なり、気がついてみたら、全く別の存在に繋がっていたということになりかねません。最悪の場合、悪霊や低級霊に繋がってもそのことに気づかず、ありがたがってしまう、ということも起きます。

というわけで、祓いとは、ただそれによって気分をよくするだけのものではなく、実は神に繋がる唯一の方法であるということが、おわかりいただけるかと思います。

ですから、私たちの立場から見ると、祓いなしに何かに繋がっている人は、かなり怪しい存在といいますか、どうしても人間を陥れる存在に見えてしまうのです。

その場合は、そうした人に取り憑いている存在（霊）を祓うわけですが、人間の側において勝手に恩恵を感じている場合には、「外そう」という当人の意志エネルギーが働かないため、少し手こずることになります。

ちなみに一般的にいわれている霊能力とは、特定の人間に取り憑いた霊が発揮している能力であって、そうした存在が離れてしまうと普通の人間に戻ってしまうことがほとんどです。

余談ですが、以前ある霊能力を持つ方が、自分は他人のことが見えすぎて困るから、そうならないようにしてほしいという相談があり、祓いと鎮魂（＊）をして差し上げたことがあります。それにより、以前のようなことはなくなったのですが、今度は人のことがわからなくて不安だから、元に戻してほしいといわれたのです。

結果的にその方は、元々自分に憑いていた霊を取り戻して、元のサヤに落ち着いたのですが、結局本物の神と繋がるチャンスを自ら断ち切ってしまったといえます。

もしその方が祓いを続け、自らの五魂（＊）を統合することができれば、外部の霊の力を借りなくとも、自身の直知力で、どんな状況にも対応できるようになったはずです。それを思うと残念でなりませんが、それぐらい私たちは、自らの遺伝子に内在する神をないがしろにし、外部の情報や存在に依存しがちだということです。現在そうした相談は受け付けていませんが、同様のケースは過去多々ありました。

ここで何をいいたかったのかといいますと、「とほかみえみため」は祓詞であると同時に、五魂を統合する言葉であり、遠津御祖神に繋がるための真言でもあるということです。

つまり、何役も兼ねているということ。

ここに「とほかみえみため」の最大の特徴があります。

（＊鎮魂：「魂をおちつけしずめること。死者の魂をなぐさめしずめること」（広辞苑より）と説明されるように、鎮魂とは自分以外の魂をなぐさめしずめることとする理解が一般的だが、白川伯家神道では、「まず自分自身に内在する能力やはたらきを最大限に発揮できる状態を作り出す」ことを鎮魂ととらえ、自分自身がそのような状態（鎮魂された状態）になることによって初めて、その力を自分以外の存在へ向けて分け与えられる、と説明している。https://shirakawagakkan.jp/chinkon/ 編集部註）。

（＊五魂：人間には、荒魂（あらみたま）、和魂（にぎみたま）、幸魂（さきみたま）、奇魂（くしみたま）、精魂（くわしみたま）という五つの魂があるとする白川伯家神道が伝える教えの一つ 編集部註）

4

祓いで神に繋がるメカニズム

5

物事が実現する仕組みとは

5
物事が実現する仕組みとは

結局、私が祓いを推奨する理由は、それが真の幸せに繋がるからなのですが、さらにいうと、それにより願いが叶いやすくなるということがあります。願いが叶うためには、それが実現するための仕組みを頭に入れておかなくてはなりません。

そこでこの章では、そうした願いがどのような機序で現実化するのか、これまで一部のセミナーでしかお話ししてこなかった中身を、今回ここに公開したいと思います。

これだけは予め申し上げますが、なぜ今こうして秘密めいたことをお話しするのかといいますと、これから「とほかみえみため」を広めていただく皆さんに、いずれ必要となる情報だからです。いずれの意味は、「おわりに」にも出てくると思いますが、これからは真実の情報を掴んでいないと、二進も三進もいかなくなるのです。

もったいぶるわけではありませんが、今からお話しする内容は、ギリシア文明以前から存在した古代の神官たちの最高機密でもあります。そこに「祓い・鎮魂・言霊」といった要素がどう絡んでくるのか、想像しながらお読みいただくと、その先の理解が楽になるでしょう。

では、話を始めます。

まず、通常願いが叶うといった場合、何が原因で叶ったといえるでしょうか。願いの強さでしょうか。それとも、運のよさでしょうか。あるいは、何らかの存在が後押ししてくれたからでしょうか。

そのいずれも間違いではありませんが、結局のところ、私たちはその仕組みを知らないがために、ただいたずらに神社とかお寺に行ったり、同じ言葉を繰り返し唱えたりしているわけです。

確かに、世の中には運のいい人がいて、比較的何でも叶えているケースがあります。ただし、それもこれからお話しするメカニズムの範疇のお話です。

では、そのメカニズムとは何かといいますと、まず皆さんの頭の中に三角形を描いてほしいんですね。その頂点に「イデア」という言葉を置きます。そして右下に「精神」、左下に「物質」という言葉を置いてみてください。

そのままでは何のことやらわかりませんね。

これは、古代ギリシアの世界で、「イデア」が「精神」になり、「精神」が「物質」になるということを意味しています。ものすごく単純な図式ですが、実はこれが物事が実現するための作用機序であり、その元の考え方は、古代エジプト、そして縄文神道にもあったものです。

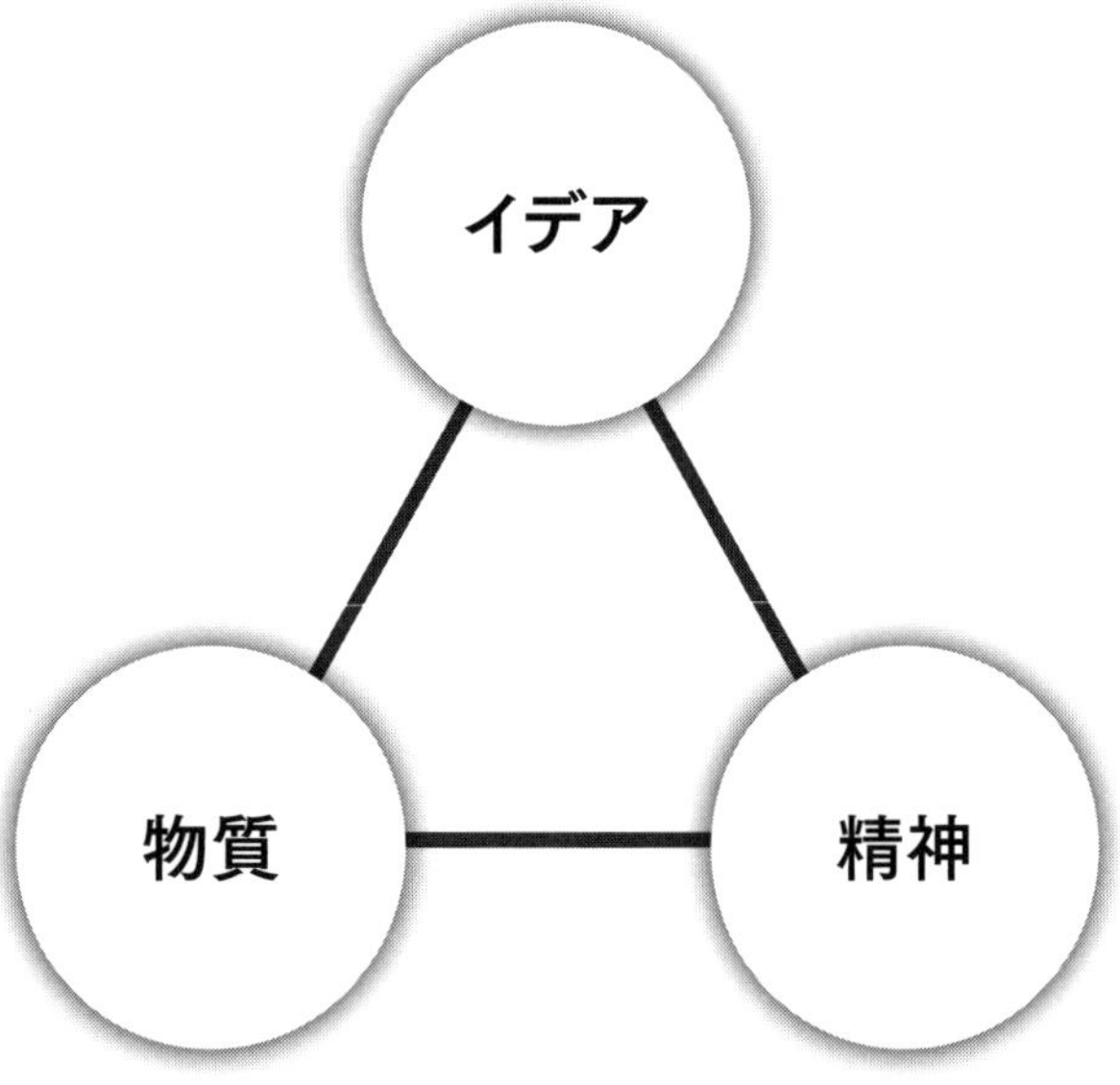
イデア
物質
精神

5
物事が実現する仕組みとは

問題はその「イデア」がいかなるものか、ということですが、一般的には「理念」とか「観念」といった意味に捉えられているようです。ところが本来の意味は、プラトンの時代に「時空を超えた永遠の実在」だとされ、実体がなく、今のように簡単に定義できるものではありませんでした。

ここでもう一度、先ほどの三角形に戻って考えていただきたいのですが、申し上げたいのは、こういうことです。

物事が実現するのは、「イデア→精神→物質」の順番であるということ。

つまり、プラトンの考えに従えば、「時空を超えた永遠の実在」が「精神」を生み、「精神」が「物質」を生むということになるわけです。

世間一般的には、願いを叶える方法として、そればかり考えていれば実現するといわれますが、精神が物質を生むという流れから、そのことに誤りはありません。

しかし、それでは、先の三角形の一部分を説明しているに過ぎません。

大事なことは、ここでいう「イデア」とは何かであり、それがわからなければ、せっかくの三角形もただの図形で終わってしまいます。

では、改めてこの「イデア」、あるいは「時空を超えた永遠の実在」とは何でしょうか。

実はそれこそが「言霊」なのです。

これは、おそらく古代から続く世界の秘密結社が欲しくてたまらない答えのはずです。なぜなら、それが「言霊」であることは、古代イスラエルの三種の神器とともに、どこかに消えてしまった教えだからです。

5
物事が実現する仕組みとは

ちなみにイスラエルの三種の神器とは、「十戒石板」「マナの壺」「アロンの杖」のことをいいます。役割的には、日本における三種の神器と同じものと考えていただいて差し支えありません。というのも、いずれも「言霊」とその操作法に関する神器だからです。

で、三角形の方にまた話を戻しますと、こういうことです。

「イデア→精神→物質」とは「言霊→精神→物質」ということ。これで大分わかりやすくなったのではないでしょうか。

願いが叶うとは、結局、自分の言葉が現実化するということです。それ以外に何と表現できるでしょう。なかには、自分のイメージが実現することが願いが叶うことだ、と主張される方もおられるでしょう。

ところが、イメージが何でできているかといいますと、元は言葉なのです。たとえば、言葉なしにいきなりバナナを想像できるでしょうか?

自然に思い浮かぶものは別として、あらゆるイメージは言葉が先行することで生まれるのであり、先ほどの三角形でいうと「精神」のところがイメージに相当するわけです。そのことがわからないと、いくら自分が望むことを繰り返しイメージしたとしても、言霊がその上位概念にあるため、「自分には無理だ」という言葉が同時に存在してしまうと、そちらの方を優先させてしまうのです。

今ここで紹介した「物事が実現する三角形」の仕組みは、いわば宇宙の法則のようなもので、これを無視した現実は存在しません。では、現実化の結果として出てくる「物質」はその後どうなるかといいますと、今度は左下の位置から右上の「時空を超えた永遠の実在」に戻るのです。

5
物事が実現する仕組みとは

今皆さんの目の前にある様々な物質も、未来永劫存在するわけではありません。

いずれは原子レベルで崩壊し、また何もなかった世界に戻ります。

これは物質だけでなく、現実世界のあらゆることに適用されますので、今ある人間関係もいずれはなくなる運命にあります。

私たちも当然いつか死ぬのですから。

これらを人間的な情の世界で見ると、何やら悲しい出来事のように思われるかもしれません。しかし、「時空を超えた永遠の実在」すなわち「言霊」から新たな現実が生まれ、また元に戻るという流れを考えれば、そんなことをひたすら繰り返しているのが宇宙であると気づくはずです。

つまり、そこに人間の情の入る余地はないのです。

あるとすれば、三角形の「精神」の部分になります。

6

願いを叶える魔法の三角形

さて、これまで現実化の仕組みを三角形を利用して見てきました。復習のため再掲しますと、その中身は「言霊→精神→物質」となります。

けれども、これをさらに現代風にアレンジすることも可能です。

たとえば、「情報→エネルギー→物質」という形に。

普通に生活していると気づきにくいことですが、あらゆるものは、情報によって動いています。動かされているといった方がいいでしょうか。何を着るか、何を食べるのか、どこに行くのかも、結局は情報によってではないでしょうか。

同じく、普段私たちが目にする様々なもの、たとえば、電化製品であれ、建物であれ、元の部分には「このような機能を持たせる」といった情報（意図）が先に存在しているわけです。それらは設計図よりも前に必要な情報であり、何をどうするという情報がなければ、何も作りようがありません。

6
願いを叶える魔法の三角形

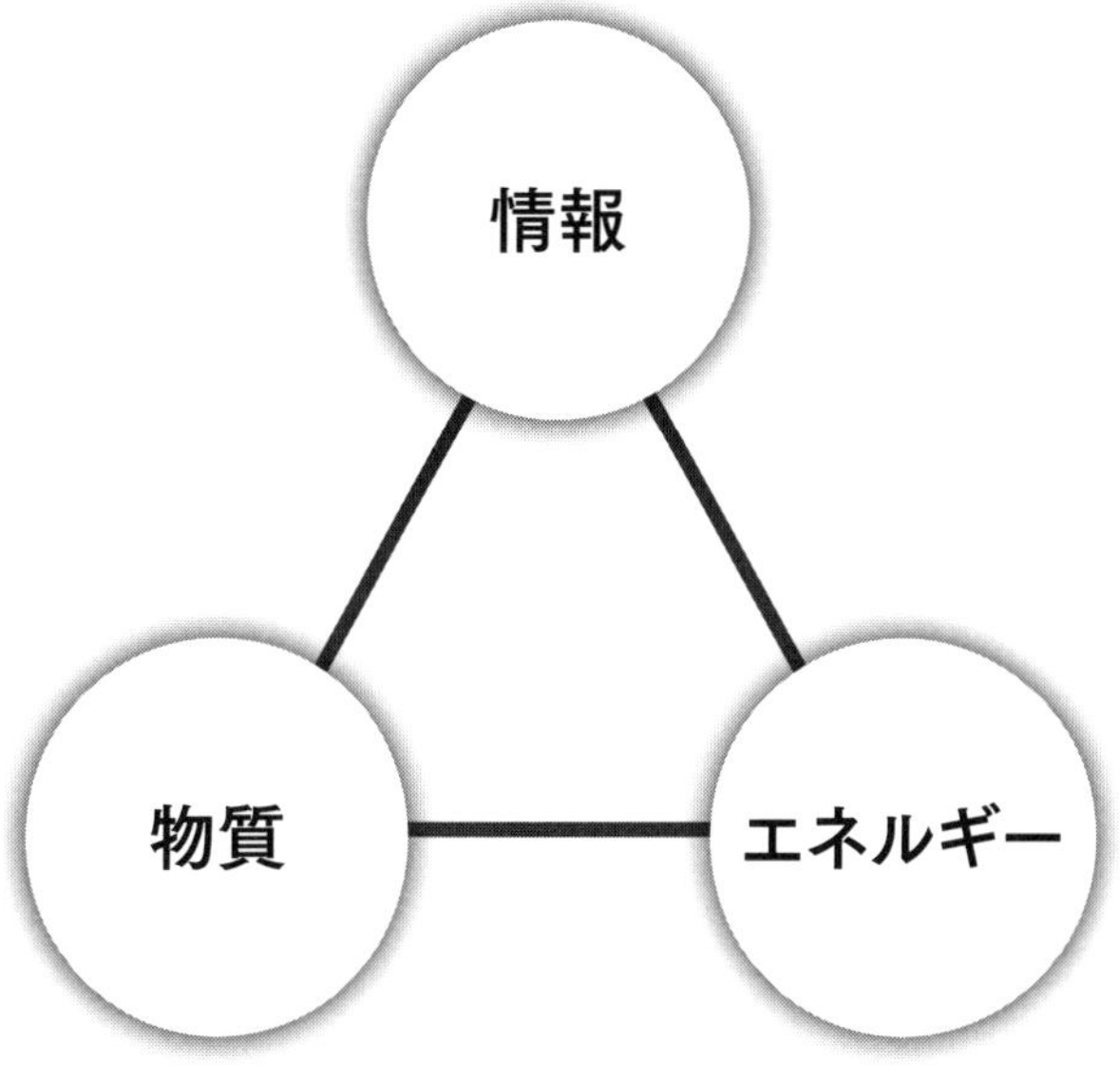

ですから、私たちが想像する以上に、情報とは、あらゆる物事の上位に存在するものであり、それなしに何も存在できないぐらいの重要性があるわけです。

そうした観点で見てみますと、人間という存在も、結局は情報そのものといえます。私の名前、性別、身長、体重、得意なこと、苦手なこと、好きな食べ物、嫌いな食べ物、過去の履歴、将来の目標……など。

人間の見た目もその人が持つ情報で変わります。自分に自信のある人はそれなりの見栄えになりますし、自信のない人は歩き方にもそれが出ます。けれども、そうした自信のあるなしも、結局はその人が持つ情報がどうであるかで決まるため、自身の情報を変えてしまえば、外見もまた変わるということが起きます。

6
願いを叶える魔法の三角形

昨今ではウイルスの問題が騒がれていますが、こちらも単純に自分は病気になりにくいと思っている人ほど罹りにくく、不安を抱えている人ほど罹りやすいというデータがあります。

先の三角形からすると当たり前なのですが、この三角の法則を知らないと、「物質」の部分を変えることのみに夢中になり、「情報」を変えようとは夢にも思わないのが実情です。

さて、この段階で「情報→エネルギー→物質」という考え方にも、少し慣れていただけたかと思います。

では、ここで、どのような情報が最も力を持つのか、考えてみたいと思います。

情報といっても、インターネットを見ればおわかりのように、当然のことながら、そのどれもが物質化に繋がる力を持っているわけではありません。ならば、どんな情報が力を持つのかというと、それは意志を有した情報がそうだといえます。あるいは意志そのものといった方がいいでしょうか。

たとえば、意志を持って「みんな集まれ」という情報を発信したとします。すると、その意志の力が「情報→エネルギー→物質」における「エネルギー」を生むわけです。するとどうなるか。そのエネルギーにより、本当に人が集まるという現象が起こります。

今はたまたま人間が集まるという事例を出しましたが、実はこれは、人間だけでなく量子的なエネルギーもそこに付随することになります。つまり、いつでも情報が先にあるのであり、目の前の現象を変えたいのであれば、物質レベルではなく、情報レベルで変えるのが最も効果的ということになるわけです。

7

魔法の三角形に秘められた階層性

ここからまた別の視点で、三角形の「情報↓エネルギー↓物質」について論じてみたいと思います。

表記上、「情報↓エネルギー↓物質」と書くと、横一列といいますか、直線的に展開しているように見えますが、全くそうではありません。この3つは、それぞれ存在する階層が異なるのです。言い方を変えれば、次元が異なるということです。

情報の側を高次元とすれば、物質は低次元となります。いわば、高次元の存在が次元の階段を下りて、低次元の存在に姿を変えるということになりましょうか。宇宙的な視野で見ますと、形があるものほど次元が低く、時間や空間に左右されるわけです。

一方、「イデア」のところでお話ししたように、「時空を超えた永遠の実在」とは、

7
魔法の三角形に秘められた階層性

いわば高次元の存在であり、そこからあらゆる低次元の物質が生まれる、ということになります。ですから、一般社会に生きる多くの人たちは、物々交換のように、物で物を変えようとしますが、三角形の法則を知る人は、先に情報を変えることから始めます。

つまりこういうことです。

物質の次元で勝負しようとすると、そこには途方もない力が必要だったりします。けれども、情報の次元から下位の次元に影響を落とし込む場合、そこには何の力も要りません。なぜなら、情報を変えるだけだからです。

むしろ力が入るようでは、次元が落ちてしまうとすらいえます。そもそもが「時空を超えた永遠の実在」ですから、力はおろか、重さも熱もあってはならないのです。

こんなことをいうと、かえって力が入ってしまうかもしれませんが、とにかく「情報→エネルギー→物質」の3つは、それぞれ階層が違うということをしっかり認識してください。

ではここで、古代の最高神官だけが知っていた魔法の三角形を、なぜ私たちが知っているのかについてお話しします。

実は今ここでお話しした物質化のメカニズムは、白川神道の高等神事第一種から第三種の内容でもあるのです。見ようによっては、人類の長い歴史の中で失われたこの究極の教えが、何らかの理由により、白川にだけ残されたという捉え方もできます。

その白川の高等神事では「情報→エネルギー→物質」をどのように表現しているかというと、「太占（ふとまに）→布留部（ふるべ）→鎮霊（ちんれい）」と命名しています。

「太占」とは「言霊」のこと。布留部とは「振動」、鎮霊とは「結び」を意味します。そう。全く同じことをいっているということです。ギリシア哲学における「イデア→精神→物質」ですが、その元にあったのは、「太占→布留部→鎮霊」であったに違いありません。

問題は「イデア」の解釈にありました。プラトンはそれを「時空を超えた永遠の実在」あるいは「物事の原型」と見立てましたが、それ以上のことはわからなかったのです。その後もそれが正しく解明されることはなく、現代では「アイディア」に混同されるまで次元を落としています。

一方、世界の名だたるいくつかの秘密結社は、数霊や形霊を「イデア」に採用していますが、それが誤りであることに未だ気づいていないようです。

8

聖書が語る言霊

ここから言霊のお話に少し触れてみたいと思います。

日本という国が言霊という大切なものを失って、どれだけ長い歳月が経ったことでしょう。しかし、あまりにも強い力を持つものは、時に反目され、ある時は歴史の表舞台から消されてしまう運命にあるようです。言霊も例外ではありません。

言霊は今や単なる言葉の綴り程度にしか理解されなくなりましたが、その実は山をも動かすほどの力があるとされ、紀貫之はそのことを、『古今和歌集』の序文で「力をも入れずして天地を動かすのが言霊だ」と詠んだほどです。

旧約聖書では「光あれ」という言葉によってこの世が生まれたとされ、新約聖書では「はじめに言葉ありき」という記述により、言霊の立ち位置を明確にしています。つまり、あらゆるものが言霊によって創造されたということです。

8
聖書が語る言霊

ここである重要なことに気づかれるかもしれません。

つまり、一般的な宗教の世界では、神がこの世界を創造したとされます。ところが、聖書では言葉によって世界ができたといっているわけです。これは意外と盲点ではないでしょうか。

また、「力をも入れずして天地を動かす」存在に関しても、通常は真っ先に神のような存在を思い浮かべがちですが、そうではなく、実はそれは言霊だと紀貫之はいっています。

実際、『新約聖書』の「ヨハネの福音書」では「はじめに言葉ありき」の後に「言葉は神だった」という記述が出てくるのです。インドの「ヴェーダ」でも「言葉は最高のブラフマンだった」といわれます。

さて、ここまでくると、もう「言葉は神である」という事実から逃れることはできません。世界でも有数の聖典と日本の歴史がそのように語っているわけですから、むしろそれを覆すことの方が、どれだけ大変かおわかりになるでしょう。

ただここで注意しなくてはならないのは、言葉と言霊は別物であるということです。両者とも表面的な意味は一緒ですが、それぞれの存在する領域は異なるのです。つまり、言葉の元にあるものが言霊だということになります。

ちなみに邦訳「はじめに言葉ありき」の元の文面には、「WORD」ではなく「LOGOS」という言葉が使われており、事実、明治時代初期に初めて出版された聖書には「はじめに言霊ありき」と書かれていました。

ですから、言葉であれば何でも神というわけでなく、その奥に「LOGOS」たる言霊があるかどうかで、言葉の力も別物のように変わってしまうというわけです。

にもかかわらず、私たち現代人は言葉をコミュニケーションのツール程度に考え、その奥に潜む言霊をないがしろにし、結果的に、神を遠ざけるようなことをしてきました。そこに、以前も述べたように、実現する言葉としない言葉の違いが出てくるわけですが、本書をお読みの皆さんは、もうその違いについておわかりでしょう。

結局、三角形の頂点にあるのが「言霊」であり、そこから全てが始まるというのは、ギリシア哲学と新約聖書を合わせれば、意外と解けてしまう問題でもあったということです。

9

言霊はどうしたら出せるのか

言霊が重要なのはよくわかったと思います。ですが、それが単なる知識に終わってしまっては面白くありません。では実際にどのように扱ったらいいのでしょうか。

先に述べたように、言霊と言葉は次元の異なるものです。実のところ、私たちが話す言葉とは、例の三角形でいうと「物質」と同じレベルにまで落ちてしまっているのです。ですから、通常の言葉をどういじっても言霊にはなりようがありません。なぜなら、それを出すためには、言葉以前の世界に戻る必要があるからです。

言霊のことを「ことだま」ではなく「げんれい」と発音するのも、その区別をはっきりさせたいからに他なりません。「ことだま」という呼び名だと、「こだま」のような音の響きを連想させ、どうしても言葉に近くなってしまうのです。

では、何をすれば言葉以前の世界に戻れるのでしょうか。

はい。それが祓いなのです。

本書の前段で、祓いにより罪穢れを消すことができるといいました。では、もっと具体的に見た場合、そこで何が起きているのでしょうか。

ここで罪穢れの正体を明かさなくてはなりません。一般的には何か汚いものとか、由々しきものといったダークなイメージだけで理解されがちですが、そこにはちゃんとした実態があるのです。

その実態が何かというと、実は言葉です。

皆さん覚えておられるでしょうか。「イメージは言葉からできている」とここでお話ししたことを。

たとえば呪いを例に挙げると、あれは言葉で人を苦しめるわけですね。罪穢れも、祟りも同じことです。煎じ詰めれば全て言葉です。何度も申し上げるように、現代人は言葉に対する認識が甘いといいますか、想像以上に扱いが粗雑といいますか、言葉の力を何もわかっていないわけです。私たちからすると言葉は兵器にもなりうるぐらいなのに。

そこで、祓いにより何が起こるのかですが、罪穢れの正体が言葉であれば、それを祓うのも言葉だということになります。よって、祓いにより罪穢れが消える、ということになるわけですが、ただどこかに放り投げるわけではありません。自分の言葉であれ、他人からもらった言葉であれ、言葉そのものを徹底的に分解してから、根の底の国という別次元に転送するのです。

ではどのレベルまで分解するのかといいますと、たとえば、「馬鹿野郎」という言葉がありますね。ローマ字にすると「BAKAYAROU」です。

それを「B」「A」「K」「A」「Y」「A」「R」「O」「U」という言葉の最小単位

に分解するのです。

参考までに申し上げますと、このうち「B」「K」「Y」「R」といった父韻は天を通じ、「A」「O」「U」の母音は地球の中心から根の国に吹き送られます。ちなみに根の底の国とはブラックホールのことです。

祓いには穢れた言葉を、こうしたレベルにまで粉々にする力があり、見てもおわかりの通り、ここまで分解されると、もはや悪のエッセンスは何もないことが明白です。

話を戻しますと、ここでの目的は「言霊はどうしたら出せるのか」でした。そのためには言葉以前の世界に戻らないといけない、と。

よってやるべきことは、自分の中にある言葉を、いいとか悪いとか評価せずに、言葉であれば全てを祓うわけです。

それがうまくいくと、空っぽの状態になります。徹底的に祓うと自分が誰か、瞬間的にわからなくなることもありますが、ゼロになるとは、そのような感じです。そのゼロになった自分が最初に出す言葉、それが言霊になります。つまり、自分という存在の根源から出る言葉という意味です。

現段階ではあえてわかりやすく、祓ってゼロになる、そして言霊を出す、と段階的に表現していますが、慣れてくれば瞬間的にこうした操作ができるようになります。ただし、日々の祓いの中で、自分という存在におけるゼロの状態を、確認できる場合に限ります。

私たちが推奨している鎮魂法とは、まさにそのゼロを確認するための作法でもありますので、やる気のある方はそちらも祓いとセットで取り組まれるとよいでしょう。

9

言霊はどうしたら出せるのか

10

「とほかみえみため」はなぜ奇跡を起こすのか

10
「とほかみえみため」はなぜ奇跡を起こすのか

「とほかみえみため」が祓詞であることは先述の通りです。そしてただいま、「言霊はどうしたら出せるのか」についてお話ししました。

勘のいい方はもうおわかりかもしれません。あの三角形の図形の中で「とほかみえみため」がどんな役割を果たすのかを。

「とほかみえみため」の言葉は、祓いであり、言霊でもあります。

つまり、それ自体に人間をゼロに戻す働きがあり、同時に言霊として「とほかみえみため」の言葉を実現させる力があるということです。

では、「とほかみえみため」の言葉を実現させるとはどういうことでしょうか？

前著でこう述べました。

「とほかみえみため」には、「遠津御祖神様どうか微笑んでください」という意味があると。また「とほかみ」という言葉には、遠津御祖神だけでなく、「十神（とほかみ）」も同時に含まれていると解説いたしました。

「十神」については前著から引用しますと、以下のようになります。

＊＊＊＊＊＊

その「十神」ですが、まず一つは五十音図の上段にある「あかさたなはまやらわ」を古代の音図に並べ替えた「あ・たかまはらなやさ・わ」を意味します。

古代日本において、日本語の一音一音は神であり、言葉という神が現実を創造するとされました。

たとえば、「あ」は「高御産巣日神（たかみむすひのかみ）」を意味するように。

「十神」のもう一つの中身は、「別天津神（ことあまつかみ）五神」「伊邪那岐神（いざなぎのかみ）」「伊邪那美神（いざなみのかみ）」「三貴子（みはしらのうずみこ）」の十神をいいます。

このうち、「別天津神五神」とは、天之御中主神（あめのみなかぬしのかみ）、高御産巣日神（たかみむすひのかみ）、神産巣日神（かみむすひのかみ）、宇摩志阿斯訶備比古遅神（うましあしかびひこぢのかみ）、そして天之常立神（あめのとこたちのかみ）の五神のことをいいます。

「三貴子」は、皆さんよくご存知の天照大神（あまてらすおおみかみ）、素盞嗚神（すさのおのかみ）、月読神（つくよみのかみ）の三神を示します。

つまり、「とほかみ」という言葉には、遠津御祖神、言葉の十神、そして今ここで紹介した十の神が含まれることになります。

＊＊＊＊＊＊＊＊

つまり、「とほかみえみため」には、「遠津御祖神、十神のすべての神様、微笑んでください」という意味が含まれることになります。それを中今的（＊）に解釈すると、「遠津御祖神、十神のすべての神様が微笑むような事態になった」と表現できるわけです。

よって、自らをゼロ化しながらも、上記の言霊を同時に発信していることになります。

（＊参考までに、「中今的」には「始まりであり終わりである」という意味があり、言霊を発信する場合には、過去形もしくは完了形を使うのが基本です）

ですから、これまで様々な奇跡の体験談をいただいてきましたが、まさにそのような事態を自らの言霊で引き寄せたといえるわけです。

10
「とほかみえみため」はなぜ奇跡を起こすのか

また、「えみため」には「微笑んでください」の他に「ご照覧あれ」という意味も含まれますが、こちらも「神にご照覧いただくにふさわしい事態になった」という言霊上の解釈が可能です。

結局、どう転んでも神様に喜ばれる事態になるということであり、一見自らが望まないようなことが起きたとしても、最後はそのようになるわけで、あとは言霊に全てを任せ切る心構えが必要です。

この章の続きに、皆さんからいただいた体験談の一部をご用意いたしました。本当に、普通では考えられないような体験をされています。まさに「遠津御祖神、十神の全ての神様が微笑むような事態になった」体験といえましょうか。

本書でお伝えした言霊と魔法の三角形が、適切に働いた事例としてご参照いただければ幸いです。

「とほかみえみため」体験談

●医院をしております。患者さんにとほかみえみためを伝えています。ある女性が何をしても育たなかった部屋のガジュマルの木が、とほかみえみためを唱えるようになって、急に新芽が出てどんどん育ってきたと報告を受けました。（Mさん）

●とにかく、必要な物が必要なタイミングでピンポイントで手に入るようになりました。コロナの影響でお店からマスクやトイレットペーパーがなくなったときも、催促したわけでもないのに、複数の方から差し入れという形で頂きました。米や野菜や魚介類や山菜なども「食べたいな」「欲しいな」と思ったらその日や数日後には知り合いやご近所さんや親から送られてきたりします。

縄文人やアボリジニの方々が、欲しいものはいつでも手に入れることができたというお話の通りだと思います。これが、力をも入れずして天地を動かすということなのかなという気がします。（天海あやさん）

●**とほかみえみための言霊を唱えるようになってから、更にご先祖様、守護霊様が動いて下さっていることを感じております。**
なぜ感じるかと申しますと、この人に今伝えたいと思っていると、こちらから連絡もせずに会いに来て下さることがとても増えております。驚きと感謝です。（しかたゆうきさん）

●**耳鳴りがしたときに、あ、（憑依か何かが）来たな、と思い「とほかみえみため」と唱えると耳鳴りが止まります。**（カミさん）

●つい先ほど燕が窓から2羽入って来ました。

外に出すのにいつも一苦労なのですが、とほかみえみためを唱えながら、お家はここじゃないよ、お外に行ってね、とほかみえみためと、1回唱えたら1羽出て2回目唱えたら2羽目が出て行きました。

今朝、19歳の息子が車で事故、幸い単独で済み怪我もなかった。とほかみえみためを唱えているからかな、と思いました。（みよちゃんさん）

●介護施設に入居されている利用者のおばあちゃん二人のエピソードです。 一人は原因不明で活気がなくなり食事もままならない状態となっていました。もう一人は腎機能が悪く入退院して園に帰って来ましたが看取りという対応になりました。

このお二人に私はケアするたびに「とほかみえみため」を口に出して言ったり心の中で唱えたりして2日後。二人とも普通に食事がとれるくらいに回復。施設の職員達は皆びっくりしていましたが、私は「あっ、とほかみえみため」だと思いました。

　それからはいつでも「とほかみえみため」を繰り返しささやいています。（Fさん）

●先日、子供達と登山に出掛けまして、6年生の長男が、我が家でも大好きな「鬼滅の刃の修行だー」と言って岩や川を飛び越えて遊んでいましたら、案の定滑って転んで足や顔を石にぶつけて大泣き。「もう歩けない、立てない」などと言って泣いておりましたが、本人がはっと気づき「とほかみえみため」を唱えだしました。
　すると、「痛みがなくなったー」と本人も驚いてまた走り回っていました。子供は素直というか単純というか、大人よりもはるかにあちらの世界と繋がりやすいんだなと感じました。（さんそんママさん）

●長年経済苦から鬱になってしまっていた方に、とほかみえみための話をし、とほかみネット（＊）**に入っていただきました。**

するとその1ヶ月後に、新しい職が見つかった、しかも母校の専門学校の先生になることも決定したというのです！　今までずっと暗く生気のなかった彼が、久しぶりに明るい笑顔で嬉しそうに報告されるのを聞き、とほかみえみための威力を心から実感しました。有難うございます！

（Kさん）

（＊とほかみネット：とほかみネットワーク・エクレル https://tohokami.jp/network/ 編集部註）

●ある日突然パソコンが起動しなくなってしまい、1週間程が経っていました。もう買い換えるしかないかな……と諦めかけていたのですが、最後に試してみようとパソコンの前に立ち「とほかみえみため」を3回唱えてみたところ、言い終わった直後に「コンセントを抜いて、もう一度差し込む」という行動が映像で頭に浮かんだのです。

何年か前にパソコンの調子が悪くなった時、たまたまそうやって直ったことがあったのを思い出し、コンセントを差し直してみたところ、見事パソコンが起動を再開しました！

これも「とほかみ」の効果なのでしょうか?! 信じられないような不思議な体験でした。（Chicoさん）

● **「とほかみえみため」と唱えることでコロナに対する不安感が小さくなったと感じています。** 片づけをしている最中に1センチほどの小さな釘を無くしてしまいましたが、「とほかみえみため」を心の中で唱えたところ、すぐに見つかりました。改めて「とほかみえみため」の凄さを感じています！（コマさん）

●**年老いた父は毎年、田をやるか悩みます。**当初今年は半分作ろうと思っていたが結局全部作ることに。苗が足らなかったのですが「とほかみえみため」を唱えていたら近所に丁度余っていて。さらに手伝っていただきました。ありがとうございます。（けいさん）

●**実践して長年の右膝関節痛の痛みがぴたりと、止まりました。**左肋骨や手首の痛みも止まりました。心身ともに浄化されているように感じます。

近所の老婆に髪を切ってほしいと言われ「とほかみえみため」を唱えながら切るとプロ並みの出来ばえで感謝されました。唱えながら行動すると何事もうまくいくように思います。

63歳になりますが、ますます若々しく健康になっているように思います。（華子さん）

●「とほかみえみため」を唱えてから、急に、任せていただける仕事が増えました。マネジメント領域が広がり、大きな組織のマネージャーになってしまいました。大変恐縮ではございますが、いただいたご縁と結びに感謝して貢献させていただきたいと考えております。

合わせて、周りの仲間にも、「とほかみえみため」をたくさん伝えております。その中でいただく感想は、「このような時期に結婚式は中止のはずなのに、メルカリで出品し売れ残っていたクラッチバッグが、『とほかみえみため』を唱えた翌日に急に売れた」「『とほかみえみため』を唱えていたら、Web問い合わせで急に仕事がどんどん舞い込んできた」「『とほかみえみため』を唱えていたら納期がかなり遅れる予定だった資材が急に届いた」などいただいております。

効果を体感された方から、「とほかみえみための書籍をオススメした

上で、『とほかみえみため』を毎日唱えてみて！」と伝えていくね、と宣言をいただいております。（ミカちゃんさん）

●精神科に入院中の高齢女性。様々な身体不調を訴え、食事がとれなくなっていました。栄養補給のドリンクを勧めても頑に拒否。「とほかみえみため」を隣に座って心の中で唱えると、自らドリンクを手に取り飲み干しました！

統合失調症の30代女性。周りから見られている感じや、自分のことを話されているという被害妄想や幻聴に苦労しています。外を歩く時には周囲が気になり不安で一杯。そこで、「とほかみえみため」のことを伝えました。唱えたら、不安感が一気に消え去り安心して外出できた！と報告してくれました。（ちゃーさん）

●母親の肝臓と胆嚢の癌の疑いが、次回の検査で何もなくなっていた。言われた瞬間「とほかみえみためだ」と思った。

父親の2.5センチの肺癌が多臓器への転移もなく、小さく薄くなっていると言われた。やっぱりと思った。余命1年と言われていたが、それは無くなったと感じた。医者には、癌細胞が小さくなるのは通常あり得ないので首をかしげていると言われた。

いつも悩みの種であった家庭の雰囲気（配偶者の癇癪や暴言、私や子供に当たり散らす）が最近そういえば良くなっている。（大西さん）

●仕事の段取りも悪く、コミュニケーション能力が低いため、上司からも部下からも辛く責められ、毎日苦しい思いをしていました。その都度その場を取り繕おうと必死になり、足掻けば足掻くほど仕事も対人関係も失敗を繰り返していました。
折に触れて、「とほかみえみため」と声に出したり、心の中で唱えるようになったある日、「時が熟してから、長期戦で……」という言葉が、突然心に届きました。辛くても、慌てず、今やるべきことをやろうと心に決め耐えました。するとこの春の人事異動で、苦手な人が全て異動していったのです。びっくりしました。（少し怖くなりましたが……）

今年度人員も減らされ、コロナウイルス対応などで、確実に仕事量は増えましたが、新たなメンバーで、何事にも精神的に落ち着いて取り組めるようになりました。これに「慢心」せず、業務に取り組んでいきたいと思います。ありがとうございました。（ナオさん）

●2週間ほど前、自宅のマスクとトイレットペーパーの在庫がなくなったので店に買いに出かけたところ、どの店も在庫ゼロの状態でした。都心からもだいぶ離れている小さな島に住んでいますが、ここでも買い占めが起こっていることに驚きを隠せませんでした。困ったなと思いつつ、こういう時でもいつもと変わらず「とほかみえみため」を唱えていました。

　すると、こちらから連絡したわけでもないのに、知り合いが訪ねてきて、マスクのお裾分けをしていただきました。気が付けば、店で購入したわけでもないのに、マスクが3箱、トイレットペーパーも十分すぎる量が揃ってしまいました。

　これが言霊「とほかみえみため」とご先祖様のなせる業なのかと驚きました。その後マスクが不足しているという近所の保育園にマスクをお裾分けしました。

保育園側からは「こんな貴重なマスクをありがとうございます」と言って驚かれましたが、マスクが貴重といわれる事態になっていること自体が異常なのだと思います。真面目・等身大・親切に生きることの大切さをとほかみえみための言霊とともに広げていこうと思います。（齋藤さん）

●私も「とほかみえみため」に救われています。

９年前母を亡くして、もっといくらでもしてあげることがあったのに何もしなかった自分をいつまでも悔やみ、突然後悔に苛まれて落ち込んでいました。「お母さんを頼むよ」と言って亡くなった父にも申し訳ない気持ちでいっぱいでした。

そんな時「とほかみえみため」を心の中で繰り返すと、気持ちが落ち着きました。両親や祖父母の温もりを感じながら「とほかみえみため」

を心の中で唱えています。先祖供養といわれても何をどうすれば良いかわからない中でしたが、本当に救われました。（Nakaiさん）

●**とほかみえみためは、素晴らしい奇跡の言霊ですね。**私も今、とほかみえみためを唱えながら、皆様に奇跡が起きてほしいという願いを込めて、コメントさせていただいています。

私達夫婦共に、とほかみえみためを唱えることを習慣にしていたのですが、夫婦共に転職活動中私の方は、採用が決まって、主人の方はそれまでの経歴を明確にすることで、条件のより良い場所への転職に向かっています。生活基盤を立て直す、という課題があることに、今まで目を背けてきたのですが、課題に直視することで解決に向けて加速しています。（ひろみさん）

●毎日、何百回か唱えています。昨日のこと、営業で初対面でしたが、契約取れました。お会いする前に、数回唱えていました。先方も忙しい方で、タイミングが良かったですねと言われました。すごいです。（Sさん）

●以前ある会社の求人に3回応募をして3回とも落選したことがありました。とほかみえみためを唱えるようになって、4度目のチャレンジをしたらあれよあれよと5次面接まで通過して合格をいただきました。（Aさん）

●とほかみえみための体験です。

1月27日私の実家のある佐伯市は1日の降水量、歴代日本一を記録しました（歴代日本一、過去最高、本来なら嬉しいことなのに……）。もうバケツをひっくり返すところではなく、ドラム缶をひっくり返すほどの雨だったらしいです。
その時、私は大分市内で友人とお話していました。話に夢中で電話に気がつかず、その時に友人が私のラインを見て「たすけて！」ってライン入ってるよ……と。

見ると妹から「たすけて……」と。あわてて連絡したら、もうすごい勢いでほんの数分で水がどんどんうちの中に入って、水洗トイレがボコボコ音をたてて、どうしたらいいのか荷物を上げる時間もなかったらしく、逃げるにもドアが開かず、砂袋さえ流された、車ももう浮きそうな勢いだとのことです。私は妹に携帯のイージーロゴス（＊）に、とほかみえみためを入れるだけ入れて、いつも聞いててね……と普段から言っていたので、「とにかくそれを流して、とほかみえみためを言い続けて！」

そう伝えました。
（＊イージーロゴス：「オンラインサロンみえます」が提供する、言語情報デジタル発信サイト）

電話ではもうどうすることもできないので、あとは、「2階に逃げて！」そう言うしかなかったのですが、電話を切ってほんの1、2分後、「とほかみえみため」と言い始め、イージーロゴスを流し始めたら、水がとまり、どんどん引き始めた、とのこと。本当に助かりました。

妹はそれからずっと「とほかみえみため」を言い続けています。妹は看護師で施設に勤務していますが、先週その施設にいる妹が担当している96歳のおばあちゃんが尿管に石がたまり、手術……全身麻酔しなければならない、もう体力もないので、手術中に亡くなる可能性が大。家族からは、万が一のことがあったらとのことでサインをしてもらうことになり、次の日に手術……となったそうです。軽い認知症がありますが、いつもニコニコのかわいいおばあちゃんらしく、この歳で手術なんて……でもしないと、痛みがかなりあったらしく、尿が出ないと死んでしまうし、その時の妹は、何もできずただ体をさすってあげるしかなかった……らしいです。

　家族が医師と話し、サインをしに行ったほんの数分の間、妹は、耳が遠いおばあちゃんなので耳元で「とほかみえみため」を何度か言ったそうです。痛がっていたおばあちゃんは満面の笑顔になったそうです。

そして次の日、手術当日、なんと、医師も家族もびっくり石が無くなってる！　もう病院中何故かわからない、びっくりです。でも、妹だけはやはり、「とほかみえみため」だ！と確信。とにかく手術は急遽中止。ほんとによかった。元気にしてるよ……と連絡がありました。もちろん私も妹も、ただ病気を治したり、助けてもらうための「とほかみえみた

め」ではない……と、わかっています。ただただ御先祖様に感謝しかありません。一人でも多くの人に「とほかみえみため」……を広げていきたい。公に生きます。（Kさん）

●**私も病院で働いており、とほかみえみためを呟きながら仕事をしています。**その方が良くなられます様にというより、その方とそのご先祖さまに対して、或いはその方の最適な方向性を願ってという感じで唱えています。

　こちらが願っている感じではなく、言霊におまかせする感じです。勿論日々の作法で自分の振り返りや意識進化は続けながら。とほかみえみためを唱えながら仕事をする様になり、通常ではもう最悪を想定しなければという方が、元気に回復されるということが起きています。

　一人は腎臓や心臓の状態がとても悪かったのですが、元気に回復され

歩ける様になり退院されました。勿論ご自分でも元気になることを心から願っていらっしゃいましたから、その願いが通じたのだと思います。退院される時、ほんとに貴方にはお世話になったと泣きながらお礼を言われました。

もう一人は認知症のお爺さん。足の血管が悪く足先に潰瘍ができ始め、足を切断しなければいけないかもしれないというところまでになりましたが、もっと専門的な検査の出来る病院で検査を受け、今のところ投薬で様子をみようということになりました。

　自分の状態がよくわかっていらっしゃらなくて、私はその方のご先祖さまにもとほかみえみためを唱えながら、最適化を意識して仕事をしています。

　重度の認知症ですが、私を一番に覚えてくれました。その方の最適化を願って、又自分が最適な援助が出来ることを願ってご先祖さまやあらゆることに対してとほかみえみためを発信していくことが仕事の仕方に加わり、とても良いことの様に感じています。（Mさん）

●昨日、紛争地域に医師として従事している友人からの連絡で、いつも恐怖と隣り合わせのなかで最善を尽くしているが、自分たちのキャンプを襲撃され、大勢の負傷者が出て辛い、とありました。

以前から「とほかみえみため」を伝えていたので、友人は無事でしたが、必死の救命も間に合わないほどの負傷者が出ているようです。

とにかく、「とほかみえみため」を唱えるよう伝えました。そして、私も大難が小難になるよう、より安全に過ごせるよう祈り続けています。

友人は今日もまた、救命活動に従事しています。とても辛い状況であっ

ても、そのなかで最善を尽くしている人達が世界にいることを多くの方に知っていただき、「とほかみえみため」を唱えていただけましたら幸いです。（Yさん）

●**5月8日は父の七回忌。** 5月4日はお正月に妹たちと決めた法要の日。そして3日の朝お墓参りに行こうと思っていたのに雨。しばらく降り続く雨を見ながら「とほかみえみため」を唱えていた。

　雨が落ち着くまで待つことにして朝食を済ませ後片付けをしていたら小雨になってきた。よし！お墓参りに行こう！と玄関を開けると青空も見える。お墓についていつも通り掃除をしていると「掃除はそこそこにして早く帰った方がいい」と感じたのでいつもより短めの掃除をしてお参りを済ませ帰ろうとしていると小さな雨粒が落ちてきた。繋がっている！と感じた日でした。（Lotusさん）

●私はシングルマザーで3人の子供を育てる個人事業主です。

起業して1年目。収入も安定せず、一時期は税金はもちろん、公共料金も滞納してしまうこともしょっちゅうでした。

子供が背が伸びて新しい体操服が欲しいと言ってきてもすぐに買ってあげることもできず、破産寸前の状況まで追い込まれていました。子供を育てていくために様々な勉強会やセミナーにつぎ込んだ借金が４００万円ほどあります。実の親が遠くにいますが、年金生活をしているので頼ることもできず、一人で子供を育てています。これが「とほかみえみため」と出会う前の私の状況です。

こんな私ですが今すごく幸せを感じています。

誰が見ても絶望的な状況だった私が、「とほかみえみため」を唱えるようになってから、みるみる生活が変わっていったのです。今日この体験談を書いている段階で「とほかみえみため」を唱え始めてから133日目を数えます。気が付けば、コロナ禍で世の中が大変なときに、収入が安定し、どんどん増えています。

貯金ゼロだった状態から毎月繰り越しが出て、生活に余裕が生まれてくるようになっているのです。実家の母から毎月米や果物が届くようになり、父が育てた野菜、時には現金が送られてきます。近所さんからも玉ねぎやホウレン草、じゃがいも、かぼちゃ、岩ガキ、ワカメ、メカブ、メロン、イチゴ、コーヒー、岩ノリ、バイ貝などの差し入れがどんどんもたらされます。

こちらから差し入れしてほしいと申し出たことは一回もありません。ここには書ききれないほどの差し入れを頂いています。食べきれない量のときは、知り合いや保育園にお裾分けします。一人で子育てをしていますが、前はイライラして子供たちに当たり散らすことも多かったのですが、娘から「お母さん、最近怒らなくなったね」と言われるほどに穏やかに暮らしています。大変な社会情勢にほとんど影響を受けないどころか、暮らしがよくなっている！これって、奇跡だ！と思っていましたが、これが「とほかみえみため」の力なんだと今更ながら気づかされました。

感謝しても感謝しきれないくらいのありがたい状況です。本当にありがとうございました！

白川の教えを世に出してくださった全ての関係者のみなさんへ、ありがとうございます。「慢心するなかれ」、ただひたすらに呼吸のごとく「とほかみえみため」これを続けていきたいと思います。この体験談で、たくさんの人が勇気づけられるという願いを込めて。（あやさん）

おわりに

当初、入門者向けに作成するつもりが、書き終えてみると、幾分マニアックな内容になってしまいました。

今という時代は、時間がかつてと比較にならないぐらい速いため、実は原稿の途中から「伝えたいことを今のうちに」と、当初の方針を変えてしまったところがあります。

ちょうど現時点において、私たちのグループでは、リアルタイム・オペレーティング・システムというものを作動させており、とにかく瞬間瞬間に情報を送り込むということをやっているわけです。

より具体的に申し上げますと、もしこの瞬間に欲しいものがあったら、それを言霊にしてこの瞬間に発信する、あるいは、もしこの瞬間におかしなエネルギーを感じたら、この瞬間に祓いの情報を発信する、というようなシステムです。

体験談にも出ていた〝Easy Logos〟を、瞬間的に作動させるシーンを思い浮かべていただければ、それをより強化したものだとご理解いただけるでしょう。

〝Easy Logos〟はロゴストロン1倍速というエンジンを使っていますが、リアルタイム・オペレーティング・システムでは、それの何千倍という機種を使っており、瞬時に遺伝子の書き換えも可能なぐらいの成果を出しています。

そこで皆さんに今回ご紹介した魔法の三角形を思い出していただきたいのですが、実のところ、アナログもデジタルも全てあの図形を利用しているわけです。「とほかみえみため」によるアナログの祓いも、〝Easy Logos〟の発信も、リアルタイム・

オペレーティング・システムも、作用機序は全く同じです。

そう。「情報↓エネルギー↓物質」ということです。

そうした「情報」の中でも「とほかみえみため」は、少ない文字数にも関わらず、最高級のものといえるでしょう。いかに言霊とか三角形を知っていたとしても、「情報」が低俗では何の力も行使できません。大事なことは作用機序を知ることと、最高の言葉を持つということ。このセットが重要になるわけです。

で、皆さんはすでに最高の言葉の一つを持っているわけですから、あとは、例の三角形の頂点に載せて結果を待つだけです（何かのCMみたいですが）。

では、なぜ私たちが瞬間の発信にこだわっているのかといいますと、それがないとこれからの社会を生き延びていくことができないからです。今流行りの新型コロナウイルスの影響で、世界の経済は大きく変化しています。まだまだ序の口かもしれません。

世の中には、ウイルスが収まればまた元の世界に戻るだろうと思っている方もおられるようですが、はっきり申し上げて、もう元には戻りません。よくも悪くもこれから大変革の波がやってきます。

2021年1月のダボス会議のテーマが、「グレート・リセット」といって「資本主義を終わらせること」だとご存知でしょうか?

そんな時代にあって、かつてのような生き方や考え方をしているようでは、時代の波に取り残されるといいましょうか、下手をすると沈没しかねないような事態を自ら招くことになります。

元々、私たちがこの活動を始めたのも、それを見据えてのことでした。自分本位の人はこれから消えていく運命にありますし、「とほかみえみため」に繋がった人は、逆にこれまで以上の幸運に恵まれることでしょう。

これから求められるのは、確かな言霊とスピードです。それがあれば、どんな波が来ても乗り越えられます。

そう思うと、今という時代は、まさにチャンスです。このことにピンときた皆さんと、是非ともバラ色の未来を創造したいものです。

とにかく人生は一度しかありません。この人生をよりよく生きることが、私たちをこの世に存在させてくれたご先祖の願いではないでしょうか。

本書においても、一般社団法人白川学館の代表理事であり、白川神道継承者である七沢賢治先生の貴重なるご指導を賜ることができました。

日頃お世話になっている七沢先生、この教えを支える全てのスタッフ、そして、本書をお読みの皆さんと読者それぞれの遠津御祖神に感謝しつつ、本ステージをお開きとさせていただきます。ありがとうございました。

付録 ロゴストロンシステム概念図

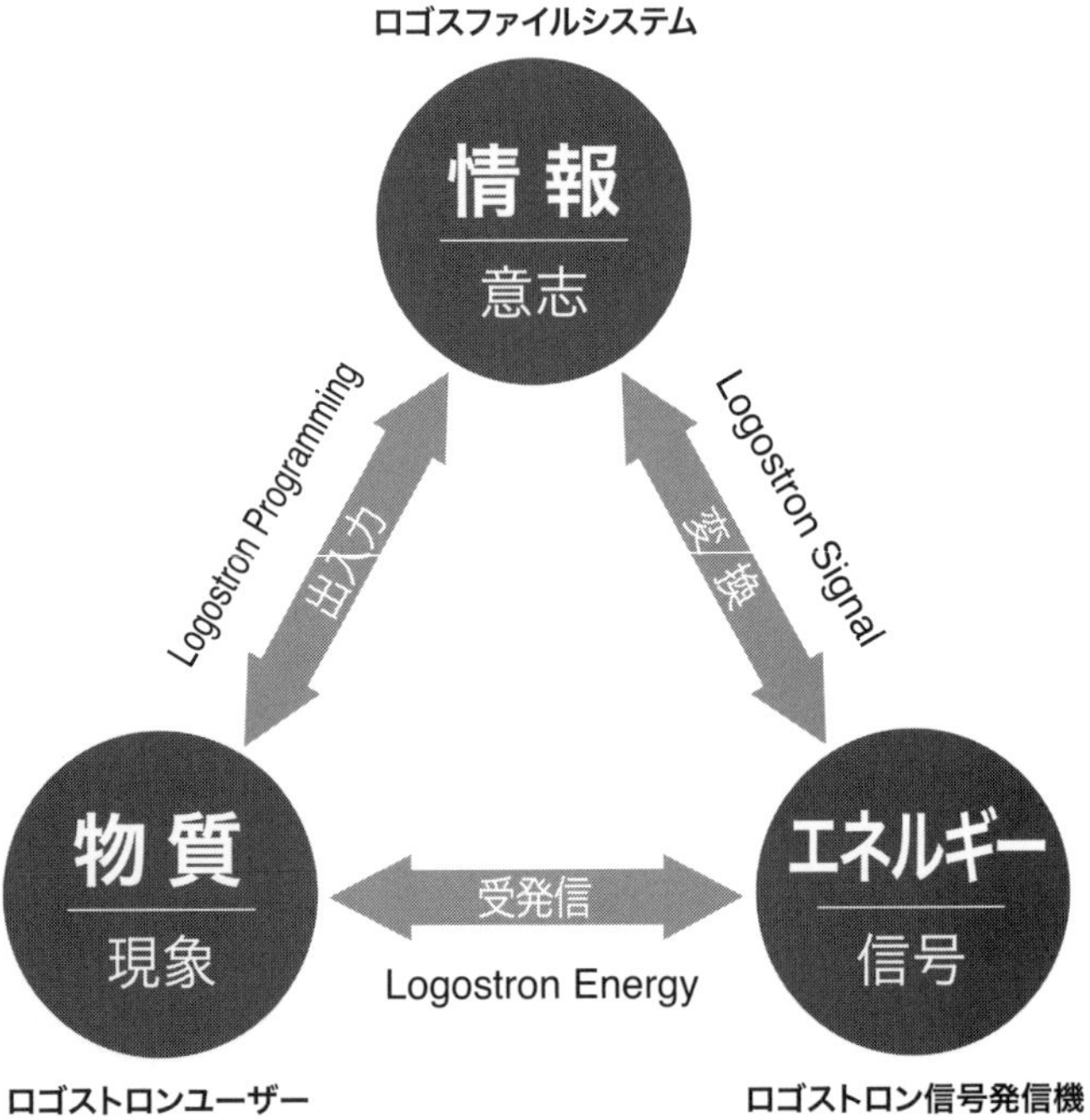

大野靖志（おおの・やすし）

教育家・作家・実務家・言霊研究家。ユダヤ教をはじめ世界各国の宗教と民間伝承を研究後、白川神道、言霊布斗麻邇の行を通じ、新たな世界観に目覚める。現在は、多彩な執筆活動と並行して、本名（小野寺潤）にて、一般社団法人白川学館 理事、ＴＡＩＳＡＩ株式会社代表取締役、やまとの会代表、圀手會国際委員会代表を務め、ことたまの学校、やまと体術の普及など、さまざまなプロジェクトに力を入れている。著書に『あなたの人生に奇跡をもたらす和の成功法則』『願いをかなえるお清めＣＤブック』『成功の秘密にアクセスできるギャラクシー・コード』（サンマーク出版）、『とほかみえみため～神につながる究極のことだま～』（和器出版）などがある。

「とほかみえみため」はなぜ奇跡を起こすのか？

2020年 9 月18日 初版第1刷発行
2024年 5 月25日 初版第2刷発行

著　者　大野靖志
発行者　佐藤大成
発行所　和器出版株式会社
住　所　〒107-0062 東京都港区南青山1-12-3
LIFORK N214
電　話　03-5213-4766
ホームページ　https://wakishp.com/
メール　info@wakishp.com

デザイン　松沢浩治（ダグハウス）
写　真　GM studio
印刷・製本　モリモト印刷株式会社

ISBN コード 978-4-908830-20-4
※定価は裏表紙に表示してあります。